[H@ppy Mails]

10.000 Wege »freu dich« zu sagen

Michelle Lovric

[H@ppy Mails]

10.000 Wege »freu dich« zu sagen

ars≡dition

Copyright © der deutschen Ausgabe: arsEdition, München 2002

Alle Rechte bei © Print Company Verlagsgesellschaft m. b. H., Wien 2002
© Idee: Michelle Lovric 2002
© Text, Design und Produktion: Print Company Verlagsgesellschaft m. b. H., Wien 2002

Layout und Design: Monnerjahn & Partner, Wien
Text: Die Textwerkstatt, Wien/Ulrike Müller-Kaspar, Sabine Weber
Umschlaggestaltung: Bluguy, München
Druck und Bindung: Typographische Anstalt Ges. m. b. H., Wien
Pressung der CD: SONY, Salzburg
ISBN 3-7607-1931-7

> Inhalt <

> Herzlich willkommen! <

Es ist so traurig, sich allein zu freuen.

Gotthold Ephraim Lessing,
Minna von Barnhelm

Sie möchten einem anderen Menschen einen lieben Gruß schicken? Ihm ganz einfach sagen, dass Sie an ihn denken? Ihm Ihre Freude über ein Erlebnis, über den Sonnenschein oder den ersehnten Regen, über eine Geste oder über ein Geschenk mitteilen? Und nun wissen Sie nicht recht, wie Sie das machen sollen, ohne dass es platt, gestelzt oder albern klingt oder der andere Sie gar missversteht? Kein Wunder – haben wir doch fast schon verlernt, unseren Gefühlen Ausdruck zu verleihen. Dabei ist es so wichtig, gerade unsere Freude mitzuteilen: Sie kann sich geradezu epidemisch vermehren und so zu einem viel positiveren Klima in unserem Alltag beitragen.

Früher schickte man in einer solchen Situation ein Billet und einen kleinen Strauß Blumen und konnte damit alles Mögliche aussagen. Und heute? Auch heute gibt es eine Lösung: Wo die Post zu langsam und das Telefon zu direkt erscheinen, schicken Sie doch ein elektronisches Billet mit einer elektronischen Blume – per E-Mail!

Happy.Mails sind solche Billets – die Sie selbst zusammenstellen. Sie wählen einen Text, der dem entspricht, was Sie ausdrücken wollen, dazu ein passendes Blumenbild, fügen einige persönliche Worte hinzu, die auf den Anlass Bezug nehmen, aus dem Sie das Billet schicken möchten, und schicken das Ganze ab. Nutzen Sie das www. als Stimmungsbote mit vielen Vorteilen:

• Ihr Blumengruß erreicht den Empfänger schneller als der Wind.

• Die Zustellung erfolgt äußerst diskret – Außenstehende müssen davon nichts erfahren.

• Die Blumen sind garantiert taufrisch.

• Sie verwelken nicht und lösen auch keine Allergien aus.

• Ihr Billet wird nur vom Empfänger selbst gelesen.

• Es erreicht ihn unmittelbar und direkt – wann immer er seine E-Mails abruft.

Sie halten hier ein
Buch in Händen, in dem Sie Tipps
und Anregungen für individuell gefertigte
Grußbotschaften an Ihre Lieben, Freunde,
Kollegen und Bekannten erhalten. Die beiliegende
CD enthält Bausteine für weit über 10.000 Billets. Die
Texte berücksichtigen zahlreiche Situationen und
Beziehungen, in denen Sie vielleicht mit einem anderen
Menschen Ihre Freude teilen könnten – und mit den Blumen
verleihen Sie Ihrer Freudenäußerung den passenden emotionalen
Rahmen. Die Texte sind so konzipiert, dass sie sich zum Großteil
auch als SMS schicken lassen.
Am Schluss dieses Buches erfahren Sie ganz genau, wie's geht. Doch
zunächst lassen Sie sich entführen in die Welt der Happy.Mails.

Dieses Buch verzichtet der besseren Lesbarkeit halber auf geschlechtsspezifische Formulierungen.
„Partner", „Freund", „Kollege" und ähnliches gilt für beide Geschlechter.

9

> Gratulation! <

Wer kennt das nicht: Sie schauen in Ihrem Kalender nach, um wieviel Uhr Sie heute Nachmittag zum Zahnarzt dürfen, und entdecken für den nächsten Tag eingetragen den Geburtstag eines guten alten Freundes. Für ein Kärtchen per Post ist es nun zu spät, und ihn einfach anrufen möchten Sie nicht. Schicken Sie doch einfach eine Geburtstagsmail – und Sie sind morgen früh garantiert der erste Gratulant!

Oder: Sie haben vielen Menschen Weihnachtskarten geschickt – und die erste, die Sie erhalten, ist von jemandem, den Sie vergessen haben. Auch hier kann eine Happy-Mail die Rettung sein.

Vielfach werden Gratulationen heute als lästige Pflicht empfunden und die Glückwünsche zu den unterschiedlichsten Gelegenheiten geraten zu leeren Floskeln.

Bemühen Sie sich doch, dem etwas entgegenzusetzen. Wenn Ihnen selbst die richtigen Worte fehlen, wählen Sie einfach ein hübsches Blumenmotiv aus, das dem Anlass gerecht wird, und senden Sie mit diesem ein paar liebe Worte. Sie finden solche keineswegs nur in der Rubrik „Glückwünsche".

Tipp: Viele Texte sind ohne direkte Anrede. Wenn Sie ein paar verbindliche Worten hinzufügen, erhalten Sie ein passendes Billet für jede Situation – auch an Menschen, mit denen Sie per Sie sind.

Noch ein Tipp: Unter Gratulation finden Sie einige Formulierungen für Gratulationen zu bestimmten Anlässen. Lassen Sie sich davon inspirieren: Wandeln Sie die Anredeform ab, wie Sie sie brauchen, oder ändern Sie den Anlass – und schreiben Sie das Ergebnis in den Raum für eigene Worte. Der fertige Billet-Text kann dann ruhig poetischer sein und das ausdrücken, was Sie mit dem Menschen verbindet, dem Sie gratulieren möchten.

Happy Birthday

Für Geburtstage gibt es eigentlich nur ein Gebot: Man sollte sie nicht vergessen. Sonst sind Ihren Billets aber kaum Grenzen gesetzt. Geburtstage sind nämlich eine wundervolle Gelegenheit, einmal alles Schöne auszudrücken, was uns mit dem Geburtstagskind verbindet, ganz gleich, ob es sich um Ihre Mutter, Ihren besten Freund, eine liebe Kollegin oder Ihr Kind handelt. Und sie sind ein idealer Anlass, unsere Zuneigung zu ihm oder unsere Wertschätzung seiner Person zu formulieren. Und diese Zuneigung oder Wertschätzung können Sie mit Happy.Mails ganz leicht in Worte fassen.

Ein Tipp: Schicken Sie ihm zusammen mit diesen lieben Worten nicht Ihre eigenen Lieblingsblumen, sondern versuchen Sie den Vorlieben des Beschenkten zu entsprechen. Erinnern Sie sich, welche Blumen Sie bereits in der Vase des Jubilars gesehen haben – eine solche Aufmerksamkeit wird ihn besonders freuen.

Kummer, sei lahm!
Sorge, sei blind!
Es lebe das
Geburtstagskind!

Theodor Fontane

13

Geburt

Natürlich gebühren die Glückwünsche der Mutter. Das Kind wird diesen Tag noch sein Leben lang feiern und Ihre erste Begrüßung ohnehin nicht zu würdigen wissen. Die stolze Mutter hat sie aber mehr als verdient.

Ein Tipp: Einer Frau, die gerade ein Kind bekommen hat, sollten Sie keine Nelken schenken – das sind, so weiß eine alte Volksweisheit, Nägel für ihren Sarg.

Noch ein Tipp: Gratulieren Sie der Mutter auch in späteren Jahren am Geburtstag ihres Kindes zu dessen Geburt! Sie wird sich darüber freuen. Notieren Sie sich zu diesem Zweck auch die Geburtstage der Kinder im Kollegenkreis!

Namenstag

Längst nicht jeder Mensch feiert seinen Namenstag, und längst nicht jeder weiß überhaupt, wann er Namenstag hat. Nicht nur in protestantischen Gegenden, wo mit dem Namen des Schutzheiligen nichts verbunden wird, sind Namenstage zunehmend in Vergessenheit geraten, auch in vielen katholischen Gegenden denken die wenigsten Erwachsenen noch daran. Das bedeutet, dass Sie den Überraschungseffekt sicher auf Ihrer Seite haben, wenn Sie diesen Tag als Anlass nehmen, einem lieben Menschen einen Blumengruß mit Happy.Mails zu mailen – und darüber freut sich jeder, ganz gleich, ob katholisch oder nicht.

Mögen alle guten Geister
Heut und immer bei dir sein
Und dich die bösen Geister flieh'n.

> *Tipp:*
Unter www.derkalender.de/namenstag.shtml
finden Sie zu jedem Vornamen das Datum des Namenstages.

Prüfungen

Unser Lebensweg ist mit Prüfungen gespickt. An allen Ecken und Enden warten sie und wollen bestanden werden. Das sind nicht nur Schularbeiten, der Führerschein oder Klausuren an der Uni. Auch ein Treffen mit spröden Geschäftspartnern, bei dem es um einen großen Auftrag geht, kann als Prüfung erlebt werden, ebenso der wöchentliche Sportunterricht von einem Kind, das sich vor dem Ball fürchtet.

Wie wichtig der Erfolg und wie groß die Leistung war, ist ganz nebensächlich. Jeder, der etwas für ihn Bedeutsames vollbracht hat, verdient es, ordentlich gefeiert zu werden. Es muss ja nicht immer ein rauschendes Fest sein. Auch die Anerkennung der Leistung durch ein Blumenbillet ist eine wertvolle Geste.

Auch die ganz stillen Helden des Alltags
verdienen diese Form der Anerkennung:
Senden Sie Ihrer Freundin oder der Kollegin, die Ihnen gegenüber arbeitet, doch
einmal ein elektronisches Kärtchen, einfach weil sie seit Jahren Beruf und Kind
und Haushalt so bravourös meistert. Es
wird ihr gut tun, wenn ihre scheinbar so
alltägliche Leistung einmal honoriert
wird.

Der Alltag
der meisten Menschen
ist stilles
Heldentum in Raten

Hochzeit

Was lässt sich zur Hochzeit Passenderes versenden als Blumen – und noch dazu unvergängliche? Wenn Ihnen das zu wenig ist, schicken Sie als Billet einen Gutschein für einen „echten" Strauß – einzulösen, wenn das Blumenmeer, das das Brautpaar zur Hochzeit bekommen hat, verblüht ist.

Bei der Auswahl der Blüten sollten Sie die symbolische Bedeutung, die den einzelnen Blumen zukommt, im Auge behalten. Sie wollen doch nicht Anlass zur Eifersucht geben, indem Sie mit einem Rosenstrauß die Botschaft „Ich liebe dich" übermitteln – oder?

CD:
Dieses Bild finden Sie
auf der Happy.Mails CD
in der Rubrik „Romantik"

*Meine Freude
ist so groß,
dass sie
vom Kummer
Tränen borgt,
sich zu entladen.*

Friedrich von Schiller

> Danke <

Ehe man anfängt,
seine Feinde zu lieben,
sollte man seine Freunde
besser behandeln.

Mark Twain

Die Kunst, Danke zu sagen, beherrscht nicht jeder. Und dabei gibt es unzählig viele Gründe und unendlich zahlreiche Situationen, in denen wir jemandem danken möchten oder uns dazu verpflichtet fühlen. Einfach „Danke" zu sagen ist aber nicht immer ganz einfach und oft haben Gedanken, Zunge oder Finger plötzlich Knoten – und dann bleibt es schließlich beim „Danke, hat mich sehr gefreut", obwohl wir eigentlich höchst unzufrieden damit sind.

Ein Billet mit ein paar Blümchen und einer Dankes-E-Mail, das auf den Punkt bringt, was Sie ausdrücken möchten, und zugleich dem Bedankten die schöne Gewissheit gibt, Ihnen eine Freude gemacht zu haben, kann Ihnen helfen, den Knoten zu lösen.

Danke für die Blumen ...

Sie sind beschenkt worden. Ganz gleich, worum es sich bei dem Geschenk handelt: Selbst der hässlichste Übertopf, den Sie sofort mit einer Hängepflanze verdeckt haben, wurde mit besten Absichten geschenkt, und der Spender kann ein kleines Dankeschön erwarten. Schicken Sie ihm Happy.Mails und fügen Sie diesen ein paar eigene Worte hinzu, mit denen Sie verraten, wie gut die Hängepflanze zum Übertopf oder der Wein zum Lieblingskäse passt. Anregungen finden Sie nicht nur unter „Dankbarkeit".

Tipp: Unter „Dankbarkeit" ist ein Text, der Ihnen gefällt, jedoch in der falschen Anredeform? Schreiben Sie diesen Text, jedoch mit der korrekten Anrede, in den Raum für persönliche Worte und gestalten Sie dazu ein Billet, dessen Bild und Text die gewünschte Stimmung übertragen.

Tausend Küsse, heiß und dick.
Send ich dir mit Mauseklick.

Danke für die schöne Zeit ...

Nach einer gelungenen Einladung, einem netten Abend, einem vorzüglichen Mahl oder einem guten Gespräch gehörte es früher zum guten Ton, sich am nächsten Tag beim Gastgeber zu bedanken – mit einem Billet und einer kleinen Aufmerksamkeit. Lassen Sie diese Sitte wieder aufleben.

Auch nach einem schönen Saunabesuch mit einer Freundin, einer richtig netten Kaffeeplauderei mit Ihrer Mutter, einem schönen Urlaub mit Freunden … immer finden Sie einen Grund, die gemeinsam verbrachte Zeit mit einem Dank abzurunden und den anderen wissen zu lassen, wie gut es Ihnen mit ihm gegangen ist.

Danke

für deine Gastfreundschaft,

dein Ohr und deinen Wein.

Danke, dass es dich gibt

Es gibt Momente, die uns unverhofft bewusst machen, wie wichtig ein Mensch für uns ist. Lassen Sie diese flüchtigen Augenblicke nicht tatenlos verstreichen und teilen Sie dem Betreffenden spontan mit, was er Ihnen bedeutet und wie farblos Ihr Leben ohne ihn wäre. Oft vergehen Jahre der Freundschaft oder des Miteinander am Arbeitsplatz, ohne dass je ausgesprochen worden wäre, welch wichtige Rolle der andere im eigenen Leben spielt – das sollte nicht so sein.

Danken Sie ihm einmal nicht mit einer Schachtel Pralinen, sondern mit Worten einfach dafür, dass er auf der Welt ist und sich dort so wunderbar ausnimmt. Und lassen Sie die Blumen sprechen.

Du bist ein wunderbarer Freund.
Das schönste Geschenk ist dich zu kennen.

CD:
Dieses Zitat finden Sie auf
der Happy.Mails CD in der
Rubrik „Dankbarkeit"

25

> Einladung <

Heutzutage spricht man eine Einladung meist am Telefon aus. Nur noch sehr besondere Festivitäten wie Hochzeiten, große Jubiläen und natürlich Kindergeburtstage scheinen ein schön gestaltetes Einladungskärtchen verdient zu haben. Schade eigentlich, denn eine liebevolle schriftliche Nachricht kann auf jedes noch so kleine Vorhaben Vorfreude bereiten, und sei es nur, zwei gute Freunde oder nette Kollegen auf ein Gläschen Rotwein bitten zu wollen. Kultivieren Sie doch diese Form wieder ein wenig und zeigen Sie ihrem Gast mit einem elektronischen Billet mit einigen lieben Worten und einer passenden Blüte, wie sehr Sie sich auf sein Kommen freuen.

Weißt du, dass die allerletzte Reue im Leben
den vernachlässigten Freundschaften gilt?
Lass uns das nicht riskieren!

CD:
Dieses Zitat finden Sie auf
der Happy.Mails.CD in der
Rubrik „Sehnsucht"

Zu mir oder zu dir?

Auf den Anlass kommt es an. Denn natürlich macht es einen himmelweiten Unterschied, ob Sie Ihre Chefin mit Gatten zum Dinner, die Herzensfreundin zum Einkaufsbummel oder den Liebsten zu einem romantischen Wochenende in die Welt der Berge und karierten Betten einladen möchten.

Frischverliebte dürfen sich gegenseitig gerne mit den originellsten Ausflügen erfreuen …

Ihre Schwiegereltern in spe machen Sie aber vermutlich mit Kaffee und Kuchen glücklicher als mit einem Picknick an einem See im März.

Tipp für Herren: Laden Sie die Erwählte nicht gleich beim ersten Treffen ins Wellenbad oder an einen schönen Badesee ein – sie braucht vielleicht ein wenig Vertrauen, um Cellulitis und Bäuchlein vor lauter Liebesglück zu vergessen. Gedämpftes Kerzenlicht und Abendgarderobe könnten ihr am Anfang lieber sein.

Noch ein Tipp: Schlagen Sie auch unter dem Tierkreiszeichen nach – dort finden Sie Tipps, womit Sie wem eine Freude machen können.

Jeden Tag ein Grund zum

Feiern:

Der erste warme Tag im Jahr

Die erste blühende Pflanze in diesem Jahr erspäht.

Ihnen ist zum ersten Mal im Leben
eine Sachertorte gelungen und alle müssen ein Stück
von diesem Meisterwerk kosten.

Das Kind hat den ersten Schritt getan oder das erste Wort gesagt.

Der Hund hat zum ersten Mal
sein Geschäft außer Haus verrichtet.

Sie haben ein wundervolles,
neues Buch und wollen daraus vorlesen.

Sie haben eine neue Frisur und das passende
Kleid dazu und möchten beides vorführen.

———————

Sie haben über Weihnachten
nur drei Kilo zugenommen.

———————

Ihnen ist zum ersten Mal der Seidenmohn aufgegangen.

———————

Das Spinatsouffle ist zum dritten Mal zusammengefallen,
und Sie möchten die Pizza nicht allein essen.

———————

Sie kommen aus dem Urlaub zurück und Ihr
Schreibtisch bricht dank des Einsatzes eines lieben Kollegen
nicht zusammen.

———————

Sie haben sich zum hundertsten Mal mit
Ihrer Mutter gestritten und brauchen Gesellschaft von
Menschen, die auch schreckliche Mütter haben.

———————

Sie haben endlich einen Parkplatz gefunden
und möchten diesen so schnell nicht wieder aufgeben.

———————

Die hübsche, neue Schreibkraft hat Ihnen zum
ersten Mal ein Lächeln geschenkt.

———————

Sie sind zum ersten Mal vom Zehnmeterbrett gesprungen.
Oder war es Ihr Kind?

> Einfach so ... <

Die schönsten Nachrichten sind jene, die uns ganz unerwartet beglücken – ein paar liebe Zeilen mitten im Trubel des Alltags, die verraten, dass dann und wann an uns gedacht wird.

Wenn Sie diese Erfahrung am eigenen Leib schon gemacht haben, können Sie davon ausgehen, dass es anderen ganz ähnlich geht. Also – behalten Sie die Gedanken an einen Menschen, die Ihnen zwischendurch den Tag versüßen, nicht für sich, sondern schicken Sie ihm eine Botschaft, die ihm versichert, dass er bei Ihnen stets präsent ist – auch wenn es bis zum nächsten Wiedersehen noch einige Zeit dauern kann. Auch wenn Ihr Gegenüber am Arbeitsplatz gerade ein schwieriges Telefonat hinter sich hat, kann ihn eine Happy-Mail wieder aufmuntern – mehr als viele Worte!

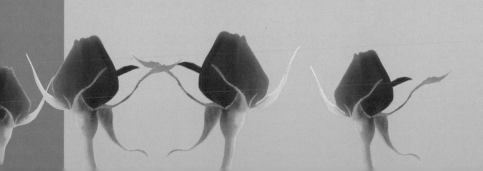

Vor lauter Liebe zu dir

Ganz gleich, ob Sie mit dem anderen ein Liebesverhältnis verbindet oder nicht, wenn Sie an ihn denken, denkt er oft im gleichen Moment an Sie. Sie werden sich wundern, wie oft Sie die Antwort bekommen: „Gerade habe ich an dich gedacht, da erreicht mich dein liebes Billet!". Was Sie dazu tun müssen? Ein Billet aussuchen und abschicken.

Sie können damit Ihre Sehnsucht ausdrücken oder auch auf ein Gespräch Bezug nehmen, auf Ihr letztes Treffen eingehen oder sich miteinander versöhnen. Auf der CD finden Sie die Bausteine für mehr als 10.000 Blumengrüße – da ist sicher der richtige dabei …

Ein jedes Tierlein
lässt sich streicheln,
man muß nur
wissen wo.

CD:
Dieses Zitat finden Sie auf
der Happy Mails CD in der
Rubrik „Zärtlichkeit"

> Teilhaben lassen <

CD:
Dieses Bild finden Sie auf
der Happy.Mails CD in der
Rubrik „Jahreszeiten"

Geteiltes Leid ist halbes Leid, geteilte Freude ist doppelte Freude.

Diese Weisheit ist zwar nicht neu, doch bewahrheitet sie sich immer wieder. Fressen Sie Kummer nicht im stillen Kämmerlein in sich hinein, weil Sie glauben, es versteht Sie ja doch keiner, oder weil Sie gelernt haben, Sie müssen alleine damit fertig werden. Sagen Sie dem anderen, dass Sie ihn brauchen. Sie werden ihm dadurch nicht lästig sein – im Gegenteil: Es wird ihn freuen.

Aber teilen Sie auch Glück und schöne Erlebnisse mit Ihnen nahe stehenden Menschen und verbreiten Sie ein bisschen von Ihrer Freude. Ganz gleich, was sie entstehen ließ – ein Sonnenstrahl, der Sie an der Nase gekitzelt hat, die plötzliche Eingebung wo Sie Ihren nächsten Urlaub verbringen möchten, oder die Freude über eine neue, gute Idee – zeigen Sie mit Happy.Mails, dass Sie Ihre Lieben an Ihrem Leben teilhaben lassen, indem Sie wichtige Momente gerne mit ihnen teilen.

Ich freue mich des Lebens
– freu' dich mit mir

Die Sonne scheint und ich schick dir schnell
einen kleinen Strahl Wärme.

Dein Lieblingslied wird im Radio gespielt
und ich singe extra laut für dich mit.

Die Topfpflanze, die du mir geschenkt hast,
bekommt gerade ein neues Blatt!

Ich muss schrecklichen Kantinen-Kuchen essen
und äße jetzt so gerne deinen selbstgebackenen.

Es gießt in Strömen und ich hoffe,
du bist im Trockenen.

Ich habe einen neuen Hut und wünschte,
du könntest mich sehen.

Ich habe furchtbar schlechte Laune,
du hast großes Glück, weit weg zu sein.

CD:
Dieses Bild finden Sie auf
der Happy.Mails CD in der
Rubrik „Sinnlichkeit"

> Aufmuntern <

Jeden Tag freue ich mich aufs neu,
dass du in meinem Leben bist.

D as Leben kann furchtbar sein und ist es auch mit schöner Regelmäßigkeit. An einem Montagmorgen im November, exakt in der Mitte zwischen dem letzten Sommerurlaub und Weihnachten, können Sie mit ziemlicher Sicherheit davon ausgehen, dass die Menschen um Sie herum eine kleine Aufmunterung gebrauchen können. Geizen Sie damit also nicht. Sie werden feststellen, wie gut es Ihnen selbst tut, andere mit einigen ermunternden Worten zu versorgen – das ist noch besser, als sie sich laut aufzusagen.

Tipp: Wenn Sie daran denken, wieviel Zeit Sie mit ihren Kollegen verbringen, fällt es Ihnen vielleicht leichter, ihnen auch einmal zu sagen, wie gern Sie das eigentlich tun.

Die Luft riecht so herrlich ...
Nach Leben!
Riechst du's auch?

Ich denk' an dich

Es muss keineswegs immer der Partner sein, dem Sie mit einer kleinen Botschaft eine Freude machen können, und es muss keineswegs immer ein komplettes Billet sein, das Sie versenden. Im Zeitalter der mehrfach flächendeckenden Handynetze erreichen Sie viele Menschen ganz leicht und spontan über das Handy. Was für Happy.Mails gilt, gilt auch für SMS-Botschaften: Sie können viel Freude bereiten, wenn sie im richtigen Moment eintreffen.

Ihr Kind ist auf Klassenreise? Sitzt im Wartezimmer beim Zahnarzt? Steckt im Stau? Muss nachsitzen?

Ich schick dir ein ganzes
Kilo Küsschen!
Aber teil sie dir gut ein!

> Trost spenden <

M it dem Trösten ist das so eine
Sache.

Sätze wie „Die Zeit heilt alle Wunden" und andere Weisheiten sind in der Regel nicht angebracht. Zumindest dann nicht, wenn Sie nicht Ihren Ruf als verständnisvoller und einfühlsamer Zeitgenosse gefährden wollen.

Meist hat es auch gar keinen Sinn zu versuchen, notwendige und wichtige Trauerzeit zu verkürzen.

Wer Trost braucht, hat nicht ein Problem, bei dessen Lösung er rationale Hilfe braucht, sondern er braucht Ihr Verständnis und Mitgefühl. Bieten Sie sich unaufdringlich als Schulter zum Anlehnen und Ausheulen an. Einige Zeilen, die schlicht besagen, dass Sie da sind, erfüllen diesen Zweck vollkommen, der Unglückswurm kann dann selbst entscheiden, ob er Sie um weitere Hilfe bittet oder nicht.

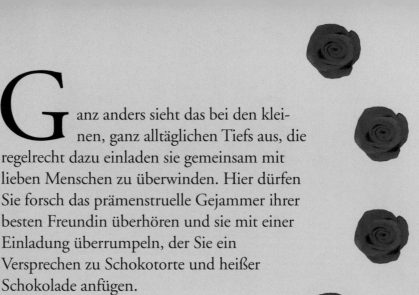

G anz anders sieht das bei den kleinen, ganz alltäglichen Tiefs aus, die regelrecht dazu einladen sie gemeinsam mit lieben Menschen zu überwinden. Hier dürfen Sie forsch das prämenstruelle Gejammer ihrer besten Freundin überhören und sie mit einer Einladung überrumpeln, der Sie ein Versprechen zu Schokotorte und heißer Schokolade anfügen.

Lass uns zusammen schmausen und schlemmen, bis uns schlecht wird. Ich lad dich ein.

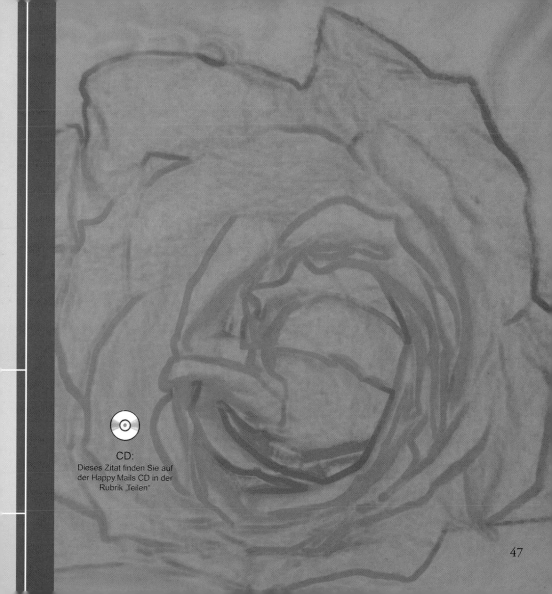

CD:
Dieses Zitat finden Sie auf
der Happy.Mails CD in der
Rubrik „Teilen"

> Versöhnung <

S ie haben einen lieben Menschen im Streit verlassen oder ihn unbeabsichtigt verletzt? Und jetzt plagt Sie schon die Reue, aber Sie wissen nicht so recht, wie Sie das wieder gutmachen können? Ein Billet bietet Ihnen die herrliche Möglichkeit, das eigene Unrecht nicht von Angesicht zu Angesicht zugeben zu müssen, sondern ein paar zerknirschte Zeilen per E-Mail mitsamt dem schlechten Gewissen loswerden zu können. Ganz besonders deshalb, weil Sie dabei nicht Gefahr laufen, sich erneut in eine Diskussion zu verwickeln und der andere Widerworte nur schriftlich geben kann, und Geschriebenes bekanntlich ja überlegter ist als Gesprochenes. Zudem überbieten sich Streithälse erfahrungsgemäß mit dem Eingeständnis ihrer Schuld – sobald einer den Anfang gemacht hat.

Es tut mir leid, ich war zu laut, seit gestern übe ich das Flüstern.

Beharren Sie nicht endlos auf Ihrem Standpunkt, sondern schmücken Sie sich mit der Größe, die Nachsicht verleiht. Vergegenwärtigen Sie sich einige lustige Erlebnisse, die Sie mit dem anderen hatten – meist verfliegt dann der letzte Rest Groll im Nu. Sie wollen sich doch nicht dem liebevollen Spott Heines aussetzen:

Der Brief, den du geschrieben,
er macht mich gar nicht bang;
Du willst mich nicht mehr lieben,
aber dein Brief ist lang.
Zwölf Seiten, eng und zierlich!
Ein kleines Manuskript!
Man schreibt nicht so ausführlich,
wenn man den Abschied gibt.

Heinrich Heine

Mit dir streite ich mich immer noch am liebsten.

Kein Liebespaar kann immer kosen.

Friedrich Martin von Bodenstedt

CD:
Diese Texte finden Sie auf
der Happy.Mails CD in der
Rubrik „Versöhnung"

> Gute Wünsche mit auf den Weg geben <

Sind „meine besten Wünsche" wirklich das Beste, was Sie zu bieten haben?

Natürlich meinen Sie damit viel, viel mehr. Doch der Empfänger Ihrer „besten Wünsche" kann Ihre Gedanken nicht lesen! Kommentieren Sie also die Neuanfänge und wichtigen Weggabelungen im Leben Ihrer Lieben ruhig etwas fantasievoller. Ist damit eine Trennung verbunden, so sind Bekundungen dessen, wie traurig Sie über den Abschied oder die Änderung sind, vielleicht nicht das, was der Andere jetzt braucht. Beißen Sie in dieser Situation die Zähne zusammen und schicken Sie ihm ganz viel Zuversicht mit Ihrer E-Mail.

Tipp: Handys sind die Heimwehproduzenten Nummer eins. Wenn Sie einen kleinen Mausezahn auf einen weiten Weg schicken, machen Sie ihm Mut:

Mein Schatz in einem Ozean fremder Menschen. Aber ich denk ganz lieb an dich.

> Die Sprache der Blumen <

Wenn Sie im 17. Jahrhundert einen Blumenstrauß geschenkt bekamen, wusste jeder, der ihn sah, sofort, was der Absender damit ausdrücken wollte. Jede darin vorkommende Pflanze, jede Blüte, jedes Gras, hatte ihre ganz bestimmte Bedeutung. Heute ist dieses Wissen verloren, doch Sie können es aufleben lassen.

Doch die Sprache der Blumen ist eine Sprache mit vielen Dialekten, die sich regional unterscheiden können. Dazu kommen spezielle Bedeutungen, die Sie selbst einzelnen Blumen geben können: Wenn Ihre Freundin Erika heisst, werden Sie ihr Heidekraut schicken, weil es ihren Namen trägt, nicht aber, weil Sie damit die Botschaft „Ich liebe die Einsamkeit" übermitteln wollen. Wenn Sie Ihren Mann auf einer Wiese voller Disteln kennen gelernt haben, werden Sie mit diesen Pflanzen fraglos etwas anderes verbinden als „Die Sache ist mir zu gefährlich".

Achten Sie sicherheitshalber darauf, dass Sie und der Empfänger Ihres Straußes den Blumen die gleiche Bedeutung zumessen.

Alpenrose	Wann sehen wir uns wieder?
Alpenveilchen	Deine Bescheidenheit überrascht mich!
Chrysantheme	Mein Herz ist frei.
Distel	Abscheu. Die Sache ist mir zu gefährlich.
Dotterblume	Du darfst mich bald erwarten.
Farnkraut	Ich mache nicht gern viele Worte.
Federnelke	Du bist mir zu leichtsinnig.
Flieder	Wirst du auch treu sein?
Gänseblümchen	Demut
Glockenblume	Unsere Herzen schlagen im gleichen Takt.
Heidekraut (Erika)	Ich liebe die Einsamkeit.
Hyazinthe	Wohlwollen. Deine Kälte läßt mich verschmachten.
Jasmin	Du bist bezaubernd!
Klatschmohn	Man muss im richtigen Augenblick schweigen können.
Kornblume	Ich gebe die Hoffnung nicht auf.

Lavendel	Tugend. Ich werde mein Ziel bestimmt erreichen!
Lilie	Glaube, Reinheit
Mohn	Nacht, Gefängnis
Nelke, weiße	Ich bin noch zu haben.
Orchidee	Du bist mir zu verspielt.
Ringelblume	Klugheit
Rose rot	Ich liebe dich über alles!
Rose rot Knospe	Herzensangst
Rose gelb	Untreue
Rose weiß	Schweigen, Treue, Liebe (Zustimmung)
Schneeglöckchen	Trost
Schwertlilie	Gute Nachricht. Ich werde um dich kämpfen.
Sonnenblume	Ich fürchte, du bist mir zu anspruchsvoll.
Tulpe	Du bist zu keiner echten Empfindung fähig.
Veilchen	Zeit (verlorene). Du bist sehr bescheiden!
Welkes Blatt	Melancholie, Tod

> Mit Hilfe der Sterne <

Die zwölf Tier-
kreiszeichen sind Beschrei-
bungen von zwölf grundlegend
verschiedenen Typen. Und das bei aller
Individualität: Natürlich braucht jeder
Fisch seinen eigenen Raum zum Abtauchen,
natürlich ist jeder Steinbock ein Einzelkämpfer, und natürlich sucht sich jeder Widder seine
eigenen Herausforderungen, auf die er schwung-
voll zugeht.

Dennoch kann man sagen, dass Menschen, die
im selben Tierkreiszeichen geborenen sind, viel

gemeinsam
haben. So hassen es alle typischen Fische, an die Angel gelegt
zu werden, alle typischen Steinböcke
sind Einzelkämpfer, und alle typischen
Widder lieben die Herausforderung.
Auf den folgenden Seiten erfahren Sie, wie Sie
welches Tierkreiszeichen am besten ansprechen,
womit Sie wem im Tierkreis eine Freude machen
können, und welche Blume zu ihm passt.
Möglicherweise hilft Ihnen dieses Wissen, Ihrem
Billet erst den richtigen Ton zu geben. Viel Erfolg!

Widder

*Carpe diem,
carpe noctem!
Also was ist? Gehen wir heute aus???*

B eim ungeduldigen Widder sollten Sie bald zur Sache
kommen, wenn Sie seine Aufmerksamkeit fesseln
wollen, und Sie dürfen ruhig seine Neugier oder seinen sportlichen Ehrgeiz wecken.

Wenn Sie ihm eine Freude bereiten wollen, laden Sie einen
Widder irgendwo hin, wo etwas los ist. Rauschende Par-

ties oder kulturelle Ereignisse, bei denen er im Mittelpunkt
stehen kann, politische Diskussionen oder auch Tanzveran-
staltungen sind sein Element. Da kann er seinen Kampfgeist
mit seinem Sinn für Schönheit verbinden und sein Tempo
leben. Romantische Parks und stille Sonnenuntergänge
könnten ihn dagegen eher langweilen – hier ist seine Tatkraft
schlicht unterfordert.

Kein Wunder, dass für einen Widder der rote Mohn die richtige Blüte ist – ihr Feuerrot ist die Farbe des Kriegsgottes
Mars, der der Herrscher des Widders ist, und verkörpert wie
der Widder selbst dessen Energie. Auch über rote Geranien
könnte sich Ihr Widder freuen.

Stier

Muss an dich denken
Tag und Nacht
Und bin um meinen Schlaf gebracht!

Einen Stier sollten Sie überlegt und ruhig kontaktieren und darauf achten, dass Sie ihn nicht verletzen. Für versteckte Signale ist er blind, Doppeldeutigkeiten prallen an ihm ab.

Wenn Sie ihm eine Freude machen wollen, gehen Sie mit einem Stier in die Oper oder bestenfalls Kegeln; besser ist es wahrscheinlich mit ihm essen zu gehen – wenn Sie ihn nicht gleich zu Hause bekochen wollen. Er wird es genießen, in einer gemütlichen Umgebung seinem Sinn für das Schöne zu frönen. Auch mit Schmuckstücken oder schönen Kleidern können Sie einem Stier eine Freude machen. Wenn Sie ihm allerdings etwas versprochen haben, sollten Sie es auch halten. Hektische Programmwechsel, Terminverschiebungen oder Überraschungsparties kann der Stier ebenso wenig leiden wie Schlamperei und Ungepflegtheit.

Kein Wunder, dass für einen Stier die Hortensie geradezu ideal ist – ihre üppige Schönheit entspricht der Liebesgöttin Venus, deren Jünger der Stier ist, und verkörpert wie der Stier selbst deren Energie. Auch über Butterblumen, Dahlien und Löwenmäulchen könnte sich Ihr Stier freuen.

Zwillinge

Dies ist ein Virus
Und er ist ansteckend!
„Ich sehne mich nach den
Gesprächen mit dir!"
Na? Schon infiziert?

Einen Zwilling können Sie ruhig mit einem Rätsel, einer Denksportaufgabe oder etwas anderem kontaktieren, das seinen wendigen, wanderlustigen Geist beschäftigt – doch hüten Sie sich, sein Vertrauen zu enttäuschen. Wenn Sie einen im Zeichen der Zwillinge Geborenen erfreuen möchten, besuchen Sie mit ihm einen Vortrag oder, besser noch, eine Diskussionsrunde. Auch auf eine Party können Sie ihn einladen – doch achten Sie darauf, dass die Musik nicht zu laut ist und es genug interessante Gesprächspartner gibt. Die Zwillinge lieben das Gespräch und den Austausch mit anderen Menschen, mag der Ort auch bisweilen ungewöhnlich sein: Ein Gespräch über Schopenhauer auf der Kinderschaukel ist nichts ungewöhnliches. Langeweile, Routine und ewig die gleiche Leier vertragen Zwillinge dagegen ebenso wenig wie langatmige Berichte über Nebensächlichkeiten.

Kein Wunder, dass für Zwillinge Glockenblumen geradezu ideale Blüten sind – ihre Beweglichkeit auf den zarten Stängeln entspricht der Wendigkeit des Götterboten Merkur, dem die Zwillinge zugeordnet sind, und verkörpert wie die Zwillinge selbst dessen Energie. Auch über Margeriten und Gräser würden sich Zwillinge wahrscheinlich freuen.

CD:
Dieses Bild finden Sie auf
der Happy.Mails CD in der
Rubrik „Sternzeichen"

65

Krebs

*Lass uns zusammen die Welt
aus den Angeln heben.
Ich bin gern dein fester Punkt.*

Beim empfindlichen Krebs ist Fingerspitzengefühl angebracht, wenn Sie mit ihm Kontakt aufnehmen. Kaum
ein anderes Wesen ist so leicht beleidigt und kann so
ausgiebig schmollen.

Wenn Sie ihm eine Freude machen wollen, laden Sie Ihren
Krebs in eine Milchbar ein – oder verabreden Sie mit ihm

einen Besuch in seinen vier Wänden, denn dort fühlt er sich am wohlsten und kann seiner Lieblingsbeschäftigung nachgehen: für andere sorgen. Zaubern Sie eine Flasche Weißwein aus der Tasche hervor oder bringen Sie ihm etwas Jasminöl für die Duftlampe mit, damit machen Sie ihm wahrscheinlich viel Freude. Hektik, Unruhe, Lärm und Angeberei kann ein Krebs nicht leiden, und Abenteuer machen ihm viel zu viel Stress.

Kein Wunder, dass für einen Krebs schlichte Gänseblümchen das Richtige sind – sie sind das bescheidene, blasse Gegenstück zur leuchtenden Sonnenblume, ebenso wie der Mond, der Sternen-

herrscher der Krebse, das Gegenstück zur Sonne bildet. Auch mit Seerosen, Veilchen und Tulpen können Sie einen Krebs erfreuen, sofern die Farben nicht zu knallig sind.

Löwe

An diesem Wochenende
bist du der Boss!
Ich freu mich schon
auf deine Wünsche …

Respekt ist das Zauberwort, mit dem man dem königlichen Löwen begegnen sollte. Und kraulen Sie ihn ruhig mit Worten: Schmeicheln Sie ihm, sagen Sie ihm, was Sie an ihm schätzen.

Einem Löwen machen Sie die größte Freude, wenn Sie ihm eine Bühne für seinen großen Auftritt schenken. Eine Einladung in ein Haubenlokal, zu einer Vernissage, in ein Popkonzert oder auf einen Ball darf es durchaus sein – in nobler Umgebung fühlt er sich wohl. Wenn Sie nun noch um ihn herumstreichen, ihn bewundern und ihm schmeicheln, lässt er seine sonnige, großherzige Art spielen und wird zum wahren Salonlöwen. In gammeligen Kneipen oder auf zugigen Kirchenflohmärkten wird er weniger glücklich sein. Regelrecht beleidigen können Sie Ihren Löwen aber, indem Sie seinen Geburtstag vergessen.

Kein Wunder, dass die Sonnenblume die richtige Blume für den Löwen ist – ihr Strahlen ist wie das der Sonne, die den Löwen regiert, und spiegelt wie der Löwe selbst deren Energie. Auch über prächtige Rosen und Feuerlilien könnte sich Ihr Löwe durchaus freuen.

Jungfrau

Im Lärm dieser Welt bist du meine Oase.

K lar, ruhig und ehrlich – so sollten Sie eine Jungfrau ansprechen. Ehe Sie vom rationalen, kopf-
betonten Kontakt weggehen und sich auch per
Mail einen Scherz erlauben können, ohne dieses Wesen
zu verschrecken, brauchen Sie eine gute gemeinsame
Vertrauensbasis.

Wenn Sie ihr eine Freude machen möchten, sagen Sie Ihrer Jungfrau genau, was auf sie zukommt – egal, um was es geht. Laden Sie sie ruhig zu einer Wanderung durch die Berge ein – aber beschreiben Sie von vornherein die Strecke. Gehen Sie mit der Jungfrau in einen Dokumentarfilm oder eine Diskussionsveranstaltung, aber sagen Sie ihr, was Sie vorhaben. Jungfrauen hassen es, den Überblick zu verlieren, und fürchten nichts so sehr wie Chaos.

Kein Wunder, dass das Heidekraut für eine Jungfrau die passende Blume ist – fein strukturiert wie seine Blüten und dennoch ordentlich ist ihr messerscharfes analytisches Denken, ein Zug, der sie mit Merkur, dem Gott der Diebe und Kaufleute, verbindet. Auch über Astern oder Nelken wird sich eine Jungfrau sicher freuen.

Waage

*Ich gäbe dir gern
meine Augen,
damit du sehen kannst
wie schön du bist!*

Die harmoniebedürftige Waage schätzt es durchaus, wenn Sie sich ihr von Ihrer spritzigsten,
humorvollsten und charmantesten Seite nähern.
Harten Konfrontationen geht sie dagegen aus dem Weg.
Wenn Sie einer Waage eine Freude machen wollen, darf

es ruhig etwas Ausgefalleneres sein. Champagner oder ein Besuch in einer Cocktailbar, in der man mit interessanten Menschen Kontakte knüpfen kann, sind für sie ebenso attraktiv wie ein Besuch auf dem Rummelplatz mit Zuckerwatte und Schiffsschaukel. Und noch etwas: Waagen sind für Komplimente unglaublich empfänglich. Sie sollten allerdings niveauvoll sein und am besten ihre verborgenen Fähigkeiten loben – ansonsten nimmt sie sie Ihnen nicht ab. Lauten Streit, verrauchte Atmosphäre und ungerechtfertigte Kritik hasst eine Waage ebenso wie Oberflächlichkeit und Ungepflegtheit.

Kein Wunder, dass für eine Waage Freesien die passenden Blumen sind – ihre kunstvoll ausbalancierte Schönheit auf den zarten Stängeln spiegelt den Schönheitssinn der Liebesgöttin Venus, die sich als Herrscherin der Waage nicht nur von ihrer eitlen Seite zeigt. Auch mit Lilien können Sie einer Waage Freude machen.

Skorpion

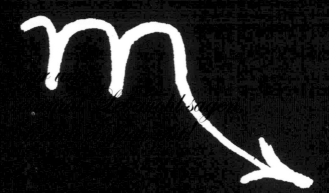

besonders gut kennen, belassen Sie es besser bei Käse-
gebäck und trockenem Rotwein, den Sie ihm nach
Hause mitbringen. Wenn Sie ihn besser kennen,
laden Sie ihn auf einen Spaziergang über einen halb
verfallenen Friedhof ein oder besuchen Sie mit ihm
einen alten Weinkeller oder auch die Folterkammer
einer Raubritterburg. Freude können Sie ihm auch
mit einer extra großen Tafel Schokolade bereiten.
Klug wäre es jedoch, vorher seine Lieblingssorte in
Erfahrung zu bringen – es könnte sein, dass es nur
diese sein darf.

Ist es eine Überraschung, dass auch die ideale Blume
für den Skorpion etwas Morbides hat? Orchideen,
die auf vermodernden Bäumen als Aufsitzer leben,
spiegeln wie er selbst die Energie des Pluto, des Gottes der Unterwelt, und die des Kriegsgottes Mars, dessen Schattenseite sich im Skorpion wiederfinden
lässt. Weitere Blumen für den Skorpion wären stark
duftende, betörende Blüten, die auch modrig riechen
dürfen oder giftig sein können wie Maiglöckchen.

Schütze

Bleib wie du bist
Und vor allem:
Stay happy!

An einen Schützen Diplomatie und Ränkespiel zu verschwenden, können Sie sich sparen. Er wird Sie schlicht nicht verstehen. Schützen schätzen dagegen ein offenes Wort und haben einen ausgeprägten Sinn für Situationskomik.

Wenn Sie einem Schützen eine Freude machen wollen, gehen Sie mit ihm an die frische Luft und lassen Sie ihn reden. Bewegung, am liebsten mit Blick auf den weiten Horizont, und Gespräche, bei denen er den Ton angibt, sind ihm am liebsten. Auch für die Besichtigung einer Kirche, eines heidnischen Kraftplatzes oder eines Schlosses ist ein Schütze stets zu haben, vor allem wenn er dabei nebenbei sein ungeheures Wissen anbringen oder aufbessern kann. Der Trubel einer Riesenparty, oberflächlicher Smalltalk und hermetisch geschlossene Schlafzimmerfenster sind ihm dagegen ein Graus.

Kein Wunder, dass die ideale Blüte für einen Schützen die Lotosblüte ist – in vielen Kulturen wird sie mit den Göttern verbunden und ihre großartige Schönheit ist wie die Großartigkeit und Wärme Jupiters, des höchsten Gottes, dessen Energie sie ebenso ahnen lässt wie der Schütze selbst. Auch mit Pfingstrosen und Gladiolen können Sie Schützen viel Freude machen.

79

Steinbock

Keine Pflicht wird so sehr vernachlässigt
Wie die Pflicht, glücklich zu sein.

Robert Louis Stevenson

Den Kontakt mit einem Steinbock sollten Sie ernsthaft und sorgsam gestalten, um ihn nicht zu verschrecken. Tabuthemen sind bei ihm Geld, Übertreibungen, Angebereien und Oberflächlichkeiten.

Wenn Sie einem Steinbock eine Freude machen wollen, schenken Sie ihm eine Kleinigkeit, die wahrscheinlich im Laufe der Jahre an Wert gewinnen wird – eine alte Münze, eine Sammleruhr oder einen – in limitierter Auflage erschienenen – Druck eines Künstlers von morgen. Sein Sicherheitsbedürfnis sorgt dafür, dass er Ihre Gabe auch um ihres künftigen materiellen Wertes schätzen wird. Verschwendungssucht und dichtes Gedränge sind dem pflichtbewussten Steinbock ein Graus. Ein Kammerkonzert oder eine Bergtour im kleinen Kreis würde ihn dagegen freuen.

Kein Wunder, dass die ideale Blüte für den Steinbock die Silberdistel ist – ihre Beständigkeit und spröde Schönheit verkörpern die gleichen Werte wie der Saturn, der Herrscher des Goldenen Zeitalters, in welchem Recht und Gesetz herrschten und die Welt noch in Ordnung war. Auch über Enzian und dekorative Zweige würde sich ein Steinbock sicher freuen.

Wassermann

Lauf mit mir über den Horizont.
Ehe du runterfällst,
fang ich dich auf.
Ganz sicher.

Der Kontakt mit einem Wassermann ist eine intellektuelle Gratwanderung: Apellieren Sie ruhig an seinen Intellekt, aber hüten Sie sich, sein Wissen jemals in Frage zu stellen. Er lässt sich nicht gern zum Narren halten. Auch romantisches Gesäusel ist bei ihm verlorene Liebesmüh.

Wenn Sie ihm eine Freude machen wollen, so laden Sie Ihren Wassermann auf einen Bummel über den Fischmarkt oder den Großgrünmarkt am frühen Morgen ein oder besuchen Sie mit ihm eine Kabarettvorführung. Auch für einen Fortbildungskurs oder einen Besuch in Disneyland ist der Wassermann zu haben. Vermeiden Sie jedoch alles, was auch nur im Entferntesten nach Gefühlsduselei riecht – denn mit Gefühlen kann der typische Wassermann nicht umgehen. Wenn er sich nicht mit einem Witz aus der Affäre ziehen kann, ist er unglücklich.

Kein Wunder, dass es recht schwer ist, für diesen spröden Genossen die ideale Blume zu finden. Strohblumen sind es noch am ehesten – ihr Verhältnis zu lebenden Blüten ist etwa das gleiche wie das des Hofnarren zum Minister: eine Karikatur – und entspricht der Energie von Uranus, in dessen Zeichen der Wassermann steht: Stets für eine Überraschung gut, aber nicht festzunageln. Auch mit Strelizien oder Mistelzweigen (die ja ebenfalls keine echten Blumen sind), können Sie einem Wassermann eine Freude machen.

Fische

Ich möchte mit dir am Strand spazieren gehen
Den warmen Sand unter den Füßen spüren
Nackt im Meer schwimmen
Und der Sonne beim Untergehen zusehen

Ein Billet an einen Fisch darf voller Anspielungen und Andeutungen zwischen den Zeilen sein – er wird die unterirdischen Strömungen und Gefühle instinktiv erfassen, die Sie hineinlegen. Daher: Seien Sie aufrichtig! Fische sind zwar weltfremde Gefühlsmenschen, aber alles andere als dumm.

Wenn Sie einem Fisch eine Freude machen möchten, können Sie Ihrer Romantik freien Lauf lassen. Laden Sie ihn also getrost zum Sonnenuntergang an einem See ein, zum verträumten Abend am Kamin oder zu einem Candlelight-Dinner zu zweit bei Champagner und leiser Musik. Dabei genießen Fische mit allen Sinnen und sind ausgesprochene Ästheten. In Arbeitskleidung ins Konzert gehen zu müssen, ist ihnen ein Greuel. Zwang und Enge vertragen sie ebenso wenig wie Unge-pflegtheit und Nachlässigkeit. Dagegen könnten Sie einen Fisch mit einer Einladung in ein Thermalbad glücklich machen – oder mit einer Kinokarte für einen jener Filme zum Schwärmen und Träumen.

Die ideale Blüte für den Fisch ist wahrscheinlich die Passionsblume – ihr Hinweis auf die Auferste-hung Christi entspricht dem Hang zum Jenseitigen der Fische und spiegelt die Energie des Meergottes Neptun, der höheren Oktave der Venus, der für die allumfassende Liebe zur Mensch-heit schlechthin steht. Auch mit Mimosen oder weißen Malven können Sie Fischen eine Freude bereiten.

> Von der CD zur gemailten Freudenbotschaft <

Diesem Buch ist eine CD beigelegt. Auf dieser finden Sie hundert Bilder und hundert Texte, um daraus Ihre Happy.Mails zusammenzustellen. In einer zusätzlichen Zeile können Sie dem auf diese Weise entstandenen elektronischen Billet einen persönlichen Kommentar beifügen, ehe Sie es abschicken.

Was Sie dafür brauchen? Einen PC mit Windows ab 3.1 oder einen Mac, ein Modem und eine aktive Internetverbindung. Das ist alles.

> *Tipp:*
Wenn Sie stärker auf das Thema Flirt und Liebe ausgerüstete E-Mail Texte suchen, könnte es sein, dass Love.Bytes das Richtige für Sie sind. Love.Bytes finden Sie im Buchhandel oder im Internet unter www.lovebytesonline.com.

Ouvertüre

Legen Sie die CD ins Laufwerk und schließen Sie dieses. Sie wird automatisch gestartet. Sie sehen dann folgenden Bildschirm:

Falls die Sache mit dem Autostart aus irgend einem Grund nicht klappt, öffnen Sie

am PC unter Windows im Arbeitsplatz das CD-Laufwerk mit einem Doppelklick und öffnen Sie mit einem erneuten Doppelklick die Anwendung HappyMails.exe

am Mac das Symbol der CD, das auf Ihrem Schreibtisch erscheint, mit einem Doppelklick und öffnen Sie mit einem erneuten Doppelklick die Anwendung HappyMails.

Erster Akt

Die Qual der Wahl

Wählen Sie links unter „Bilder" eine Kategorie aus (1), und blättern Sie sich mit Hilfe des „Next"-Buttons darunter hindurch (2).

Ist das Gesuchte nicht in dieser Kategorie, so klicken Sie eine andere an und blättern Sie sich ebenso hindurch (3) – so lange, bis Sie Ihre Auswahl getroffen haben.

Wählen Sie rechts unter „Texte" eine Kategorie aus (4), und blättern Sie sich wieder mit Hilfe des „Next"-Buttons darunter hindurch (5).

Ist das Gesuchte nicht in dieser Kategorie, so klicken Sie eine andere an und blättern Sie sich hindurch. Bei den „Sternzeichen" finden Sie unter den einzelnen Tierkreiszeichen auch Gedichte, die besonders gut zu dessen Vertretern passen könnten (6).

In der Mitte sehen Sie Ihre virtuelle Postkarte so, wie sie bei der gerade angeklickten Auswahl aussehen wird (7).

89

Zweiter Akt

Von der virtuellen Postkarte zur E-Mail

Wenn Sie mit Ihrer Auswahl zufrieden sind, gehen Sie in die Zeile „My words" und fügen Sie einen knappen persönlichen Kommentar hinzu. Hier sollten Sie sich kurz fassen. Dabei hilft Ihnen vielleicht eine Auswahl der zahlreichen Shortcuts, ohne die im Net offenbar nichts mehr geht.

My words	baby i love you

Als Absender tragen Sie in das Feld „My address" Ihren Namen oder Ihre E-Mail-Adresse ein:

My address	lover@email.uk

Nun brauchen Sie nur noch in das Feld „Your address" die E-Mail-Adresse des Empfängers einzusetzen (z. B.: liebling@server.com) …

Your address	lover@email.uk

Finale

Ihre Nachricht wird übermittelt

… und auf den „send"-Button zu drücken.

send ▶

Der Empfänger erhält Ihre E-Mail mit dem **Betreff:** Happy.Mails for you!
Probleme? Der „help"-Button rechts oben am Bildschirm hilft Ihnen
sicher weiter.

Zum **Beenden** der Anwendung drücken Sie einfach die Escape-Taste Ihres
Computers (Windows) oder + Q (Apple).

> Verzeichnis der

Art

Collage

Backgrounds

Momente

Farben

Bilder auf der CD <

Sinnlichkeit

Inspiration

Romantik

Jahreszeiten

Sternzeichen

> Verzeichnis der Textanfänge auf der CD <

Sehnsucht

Ein Leben ohne Freude ist… (Jean de La Bruyère)
Ein Vergnügen erwarten … (Lessing, Barnhelm)
Ach wie ist das Mailen schön…
Ich möchte mich mit dir …
You got lost! …
Statt hier zu sitzen …
Carpe diem, carpe noctem! …
Wir freuen uns auf euch …
Muss an dich denken …
6 ist eine Lottozahl …
Auch wenn zwei beieinander liegen …
Neben dir ist so schön aufwachen …
So lange haben wir einander gesucht …
Was ist schöner als ein Sonntag …
Du bist so weit weg …
Ohne dich
Ich vermiss dich so …
Weißt du, was meine …
Ich freu mich schon sooo …

Komplimente

Zum Geburtstag ganz viel Glück …
Mögest du leben, solange du willst …
(Keltischer Trinkspruch)
Das Alter ist ein höflicher Mann …
(Johann Wolfgang von Goethe)
Ein Quentchen wirklicher Freundschaft …

Es gibt wenig aufrichtige Freunde …
(Marie von Ebner-Eschenbach)
Freunde gewinnt man nicht …
Freundschaft ist die Ehe der Seelen …
(Voltaire)
Es wird höchste Zeit …
Was wäre der Tag ohne dich …
Am Ende eines langen Tages …
Manchmal bist du mir rätselhaft …
Im Lärm dieser Welt …
Weißt du, was meine …
Bleib wie du bist …
Ich gäbe dir gern meine Augen …
Du bist mir ein so wertvolles Gegenüber …
Weißt du eigentlich …
Weißt du, dass ich dich …
Ich hab da was ganz Wichtiges vergessen …
Du bist ein Freund …
Niemand kann so geduldig …
Deine Freundschaft wird mir immer wertvoller …

Trost

Auch diese Woche hat einen silbernen Streifen …
Nicht verzweifeln …
Lass uns heut abend …
Der Alltag der meisten Menschen …
Die einfachste Möglichkeit …
Carpe diem, carpe noctem! …
Die Tage leer, der Sommer weit …

Lass den Kopf nicht hängen …
Alle Großen waren früher schlecht …
Du weißt doch, die meisten Dinge …
Guten Morgen! …
Ich schick dir ein ganzes Kilo Küsschen! …
Mein Schatz in einem Ozean …
Im männlichen Gehirn …
  (Schild in der Garderobe im Alten Ballhaus in Berlin)
Bleib wie du bist …
Der Abschied schmerzt immer …
  (Arthur Schnitzler)
Wir haben einen schweren Verlust erlitten …
Abschiedsworte müssen kurz sein …
  (Theodor Fontane)
Es mehrt unendliche Trauer …
  (Homer, Odyssee)

Miteinander

Meine Freude ist so groß …
(Friedrich von Schiller)
Die Sonne scheint …
Dein Lieblingslied wird im Radio gespielt …
Die Topfpflanze, die du mir geschenkt hast …
Ich muss schrecklichen Kantinen-Kuchen essen …
Es gießt in Strömen und ich hoffe …
Ich habe einen neuen Hut …
Ich habe furchtbar schlechte Laune …
Das Licht fällt durch …
Lass uns zusammen schmausen …
Die Sonne, die im Maien lacht …
(Sprichwort)
Am Stirnhaar lasst den Augenblick …
(William Shakespear)
Diese Schönheit, diese Klugheit …
Ich schick dir einen wunderschönen

Gedanken ...
Ich bin ganz fleißig ...
Die Luft riecht so herrlich ...

Dankbarkeit

Herzlichen Dank, dass Sie jederzeit …
Herzlichen Dank für die vertrauensvolle …
Jeden Tag freu ich mich …
Das Schicksal hat uns …
Es gab eine Zeit …
Wer Glück erfuhr … (Sophokles)
Du bist ein Freund …
Du bist eine Freundin …
Du hilfst mir so viel …
Es ist schön, dass du dein Leben …
Du bist ein großzügiger …
Du bist eine großartige …
Danke für deine Gastfreundschaft …
Du liebst mich am meisten …
Was ist schöner als ein Sonntag mit dir …
Niemand kann so geduldig …
Deine Freundschaft wird mir immer wertvoller …

Gratulation

Kummer, sei lahm! Sorge, sei blind! …
(Theodor Fontane)
Anlässlich Ihres heutigen Geburtstages …
Anlässlich des Jubiläums …
Anlässlich Ihres Geburtstages …
Nach all dem, was wir …
Zum Geburtstag ganz viel Glück …
Der Mensch ist gerade so glücklich …
(Abraham Lincoln)
An seinem Geburtstag hat man …
Wenn es irgend etwas zu feiern gibt …

Mögen alle guten Geister ...
Mögest du leben, solange du willst ...
Keine Pflicht wird so sehr vernachlässigt ...
(Robert Louis Stevenson)
Das Alter ist ein höflicher Mann ...
(Johann Wolfgang von Goethe)
Ehe du heute die Kerzen ausbläst ...
Herzlichen Glückwunsch ...

Liebe

Hätten wir uns nicht gefunden ...
Was Prügel sind, weiß jeder ... (Heinrich Heine)
Du bist der sanfte Mairegen ...
Ich schick dir einen wunderschönen Gedanken ...
Ich wollte mich nie mehr verlieben ...
Im Lärm dieser Welt ...
Fällt unsere Liebe einmal ins Wasser ...
I love you saumäßig ...
Ruhe und Freude und Frieden ...
Das Schicksal hat uns ...
Ich gäbe dir gern meine Augen ...
Du liebst mich am meisten ...

Zärtlichkeit

Was sich nicht abbürsten lässt ... (Ovid)
Die Hände tun mir weh ...
Ein jedes Tierlein lässt sich streicheln ...
Wenn ich mit dir durch den Regen laufe ...
Mein Schatz in einem Ozean ...
In seiner Liebsten Armen ... (Simon Dach)
Ich schick dir einen Sonnenstrahl ...
Müssen wir uns einmal Lebewohl sagen ...
Ich möchte in einem duftenden Schaumbad ...
So lange haben wir einander gesucht ...
Ich freu mich schon sooo ...
Ein Wochenende mit dir ...

Versöhnung

Eines Fehlers wegen ...
Kein Liebespaar ... (Friedrich Martin von Bodenstedt)
Mit dir streite ich mich ...
Es tut mir leid, ich war zu laut ...
Komm zurück ...
Seit du weg bist ...
Wem Mutter Natur ... (Wilhelm Busch)
Sprichst du noch mit mir? ...
So ein kleiner Disput ...
Manchmal bist du mir rätselhaft ...
Sei wieder gut ...
Hab mich so lange nicht gemeldet ...
Weißt du, dass die allerletzte Reue ...

Versprechen

Lass uns zusammen ...
Lass uns heute nacht ...
Lauf mit mir über den Horizont ...
Du darfst heut trinken ...
An diesem Wochenende bist du der Boss ...
Ich weiß, wir wollten immer ...
Die Tage leer, der Sommer weit ...
Ich schick dir ein ganzes Kilo Küsschen ...
Müssen wir uns einmal Lebewohl sagen ...
6 ist eine Lottozahl ...
Ich möchte mit dir am Strand ...
Ein Wochenende mit dir ...
38 Schokoladeneier warten darauf ...
Vorsicht, Haseninvasion! ...
Gruß vom Osterhasen: ...
Sei mir nicht bös ...